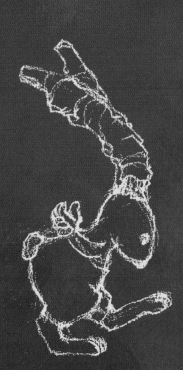

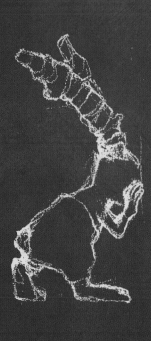

voor Fabian, Mira en Annika   A.B.

voor Tom   C.H.

STICHTING NEDERLANDSE
KINDERJURY
2004

ISBN 90 00 03495 7

oorspronkelijke titel 'Über den großen Fluss'
oorspronkelijke uitgever Patmos Verlag GmbH & Co. KG,
Sauerländer Verlag, Düsseldorf
© 2002 Patmos Verlag GmbH & Co. KG, Sauerländer Verlag Düsseldorf
© 2003 Nederlandse vertaling Van Goor en Tjalling Bos
© 2003 voor deze uitgave Van Goor, Amsterdam
typografie Erwin van Wanrooy
www.van-goor.nl

Van Goor is onderdeel van Uitgeverij Prometheus

Armin Beuscher & Cornelia Haas

Over de grote rivier

Uit het Duits vertaald door Tjalling Bos

Van Goor

Op een dag zei haas tegen wasbeer:
'Ik moet op reis, maar ik kan jou niet meenemen.
Eend, olifant en muis blijven hier bij jou.'
'Ga je dan helemaal alleen op reis?' zei wasbeer.
'Wij kunnen je toch helpen? Je moet een rivier oversteken
en die is heel breed en heel diep.'

Haas knikte. 'Ja, het is een grote rivier.
Maar ik kan hem in mijn eentje oversteken.
Breng jij me tot aan de oever?'
Ze liepen samen naar de rivier.

Op de oever zei haas: 'Nu moet ik echt gaan.

Jij blijft hier, bij eend, olifant en muis.

Je kunt aan me denken, als ik er niet meer ben.

En ik vind het fijn als je eend, olifant en muis

verhalen over me vertelt.'

Haas omhelsde wasbeer.

Even hielden ze elkaar stevig vast.

'Ik had graag bij je willen blijven,' zei haas.

Toen liep hij naar het water.

Hij stak zijn poot omhoog en zwaaide

voor de laatste keer.

Haas verdween tussen het riet.
Wasbeer zag hem nergens meer.
Hij hoopte dat haas veilig aan de overkant
was gekomen en het daar mooi vond.
Verdrietig ging wasbeer op een steen zitten.
Hij huilde een beetje.

Wasbeer veegde de tranen uit zijn ogen.

Hij dacht aan haas.

Haas had vaak gezegd: 'Alles heeft een begin en een eind.'

'Dat is zo,' fluisterde wasbeer.

Hij haalde diep adem en zei hardop: 'Alles heeft een
begin en een eind.'

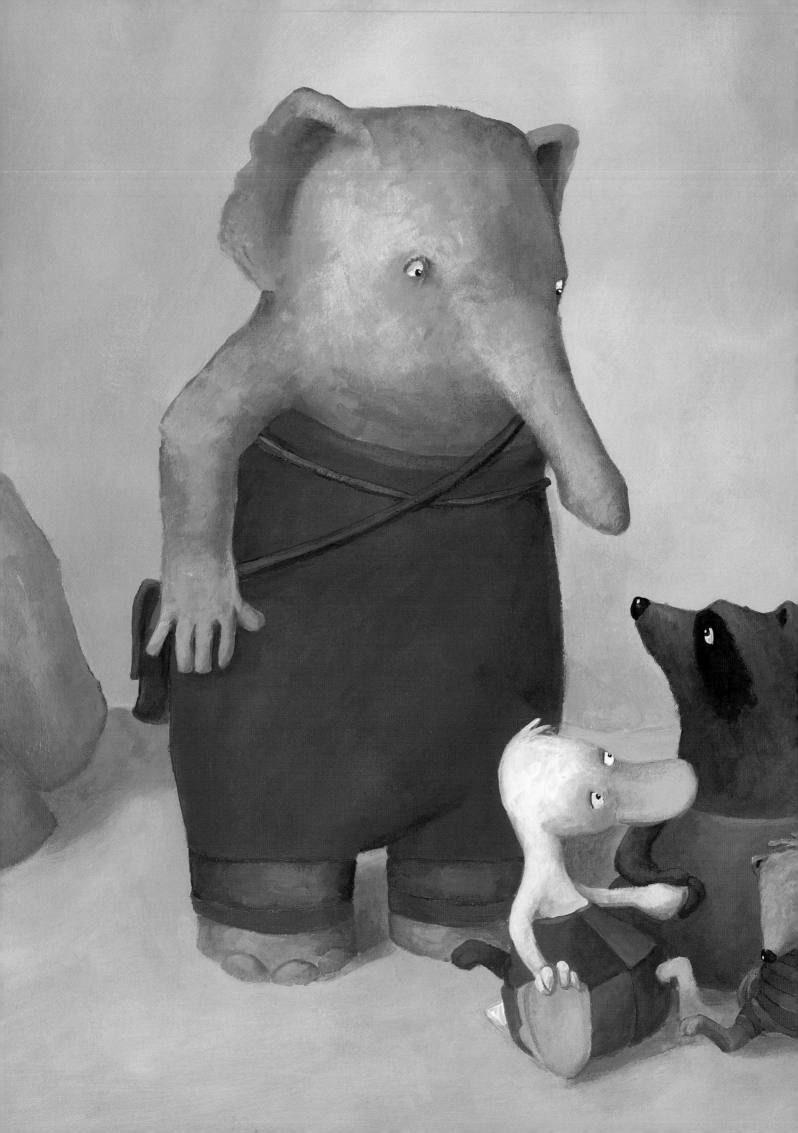

Toen liep wasbeer naar huis.

Hij omhelsde eend, olifant en muis.

'Haas is de grote rivier overgestoken,' zei hij zacht.

'Komt hij nog terug?' vroeg olifant.

'Nee,' zei wasbeer. 'Haas blijft aan de overkant.'

Eend, olifant, muis en wasbeer gingen een eindje wandelen. Ze dachten allemaal aan haas.

Opeens struikelde olifant over een steen. Hij viel en zijn trompet rolde uit zijn tas.

Olifant raapte zijn trompet op en begon een liedje te spelen.
Eend sloeg de maat en muis pakte zijn fluit.

Ze maakten de hele avond muziek
en zelfs wasbeer danste mee.
Het was al nacht toen ze naar huis gingen om te slapen.

'Wasbeer, slaap je al?' vroeg muis.

'Mmm,' antwoordde wasbeer.

'Denk je dat haas onze muziek gehoord heeft?'

'Natuurlijk,' zei wasbeer gapend.

'Dan moeten we vaker muziek maken.'

'Ja,' fluisterde wasbeer.

Toen was het weer stil.

Alleen de wind ruiste door de bomen.

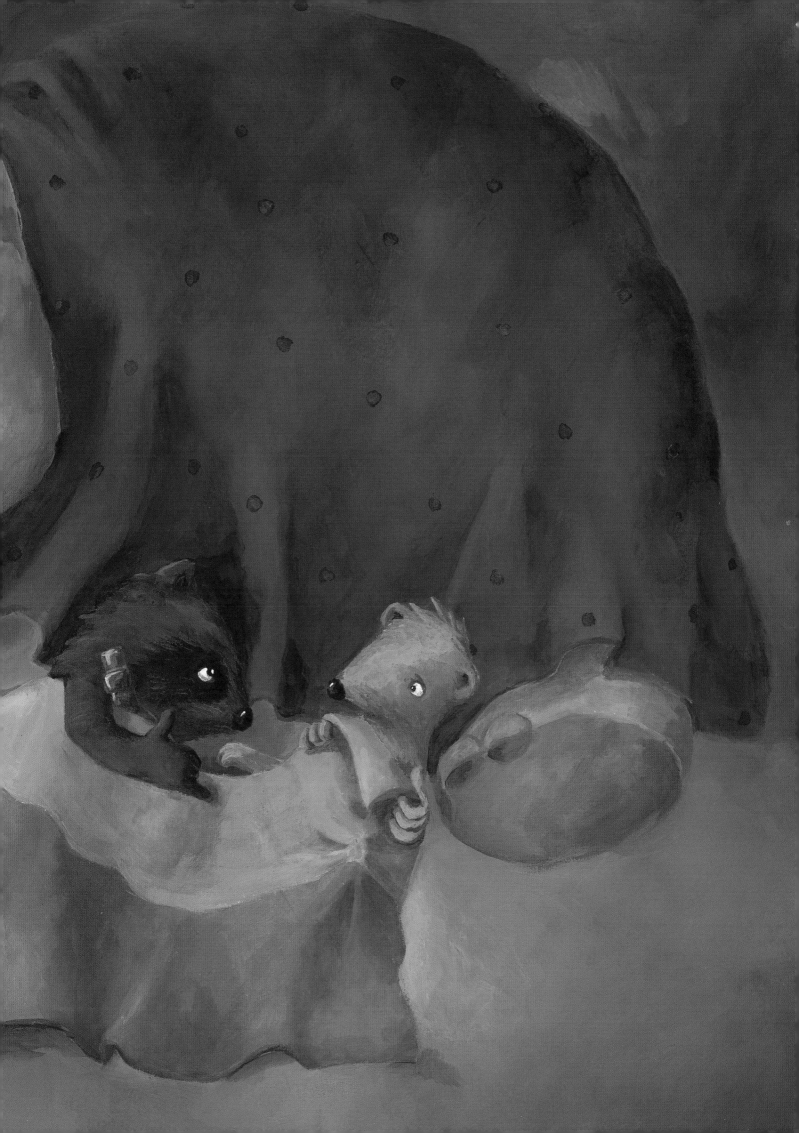